我的吸血鬼同學

21 人界實習生

創作繪畫・余遠鍠　　故事文字・陳四月

目錄

迦南

擁有金黃魔力的人類少女。好奇心重，領悟力強，平易近人的她曾被黑暗勢力封印起她的魔力，是九頭蛇想捉拿的人。

安德魯

吸血鬼高材生。外形冷酷，沈默寡言，喜歡閱讀的他想找出失蹤多年的父親，對迦南格外關心。

美杜莎

蛇髮妖族的後裔。她曾嫉妒受歡迎的迦南，但現時二人已成為朋友。

米露

身手靈活的貓女。有收集剪報的習慣，熱愛攝影的她夢想成為魔法世界的記者。

阿諾特

吸血鬼一族的王子，是被寄予厚望的天才。追求力量和榮耀的他自視高人一等，對同樣被視為天才的安德魯抱有敵意。

艾爾文

隸屬公會的吸血鬼獵人。因為父親被吸血鬼害死而十分痛恨吸血鬼，個性剛烈的他擅長使用長劍。

艾翠絲

艾爾文的妹妹。同樣因為仇恨踏上獵人之路，以一把手槍協助艾爾文執行任務，是艾爾文最重要的親人和拍檔。

舒雅

魔法萬事屋的店長，也是魔幻學院的畢業生。不只魔法了得，還懂得製作魔法道具。

摩卡

魔法萬事屋的吉祥物，是一隻會說話和會使用魔法的黑貓。

海德拉

才華洋溢的天才魔法師，為拆穿王國的謊言、揭露歷史真相而不惜犧牲一切，是令人聞風喪膽的黑魔法派領袖。

我的
吸血鬼同學

第一章

魔法萬事屋的實習生

就讀西方魔幻學園，最開始的三年課程是在學校裡學習魔法，四年級要到東方學園當交流生，最後同時也是最重要的兩年時間，學生會到自己挑選的工作場所實習。

實習的意義，是讓學生早一步踏入社會，把四年的成果學以致用，同時讓學生體驗一下自己挑選的未來就業路向，從而思考是否真的適合自己，再為職涯做出明智決定。

魔法，到底能為你帶來什麼？而你又想用魔法成就什麼？

這是魔幻學園給學生最後的課題，希望學生在實習期間，找出屬於自己的答案。

魔法萬事屋

人界內，一個人跡罕至的舊街區裡，安德魯拿著取錄通知書在一幢木屋前呆站了片刻。

「『魔法萬事屋』……真的是這裡嗎？」安德魯半信半疑，抬頭看著正搖搖欲墜的招牌。

雖然街上滿是歷史悠久的小店鋪，但這別樹一格的歐式雙層木屋明顯和這裡格格不入。

「請問……」安德魯推開木門，環顧四周也不見這裡的負責人。

「喵～」只有一隻黑色毛髮，長有一雙琥珀色眼睛的黑貓，在安德魯的腳旁邊磨蹭。

「很可愛的黑貓啊，你好！這裡的店長不在嗎？」安德魯馬上成為黑貓的俘虜，他早已聽聞在人界，貓兒是十分受人喜愛的寵物。

安德魯伸手想抱起黑貓，卻被貓兒出人意料的舉動嚇了一跳。

「你就是來自魔幻學園的實習生吧？」黑貓開口說話了。

「原來貓是會說人類語言的生物嗎？」這和安德魯認知中的貓大相徑庭。

「你手上的是取錄通知書吧？跟我來。」尋常的貓兒當然不會說話，但這隻黑貓殊不簡單。

安德魯跟隨黑貓踏上階梯，魔法萬事屋的二樓是店長的寢室，一樓則是用來接待客人的地方。

「舒雅，**日上三竿**了！快起床啦！」黑貓跳到床鋪上叫喚牠的主人。

「五分鐘……我再睡多五分鐘……」快到中午還蒙頭大睡的店長，顯然是個不太稱職的主人。

「實習生已經來到了！」黑貓叼走舒雅的被子，她才驚醒過來。

「吓？摩卡你為什麼不早點叫我起床？這豈不是讓實習生對我留下不好的印象？」舒雅是魔法萬事屋的店長，她同樣是魔幻學園的畢業生。

「我一小時前已叫你起床，是你一直賴在床上不願起來！我昨晚不是有早早叫你去睡嗎？明明知道今天實習生第一天上班。」黑貓摩卡沒好氣的說。

「所以我才打掃至夜深呀，畢竟第一印象是很重要的。」舒雅經常外出工作，萬事屋除了她和摩卡外，沒有其他員工。

你好……

「哈哈……你好，若然你不介意的話……可以先到一樓稍等我一會兒嗎？」還身穿睡衣的舒雅才剛剛睡醒，頭髮**蓬鬆凌亂**。

舒雅是人類魔法師，二十出頭已開始經營自己的小生意，雖然她看起來一點也不靠譜，但是她在魔幻學園是以**一級榮譽**的優異成績畢業。

「你要喝咖啡嗎？」回到萬事屋一樓，摩卡跳到餐桌上。

而摩卡不只是一隻會說話的黑貓，牠擁有不下人類的智力，就連沖泡咖啡也得心應手。

「謝謝……有勞你了。」這工作環境和安德魯想像的截然不同，沒有緊張和壓迫的感覺，反而十分親切溫暖。

「我叫摩卡，也算是你在職場的前輩。剛才的女生叫舒雅，是這裡的店長。」說時遲，那時快，摩卡已把**香氣撲鼻**的咖啡泡好。

「我叫安德魯，是來自西方魔幻世界的吸血鬼。」安德魯低頭看著咖啡，看到貓兒沖咖啡令他大開眼界，深感世事無奇不有的道理。

「我知道，你是阻止了黑魔法派的陰謀，在皇城保衛戰中**大放異彩**的吸血鬼。」摩卡長有一雙明亮而且深邃的琥珀色眼睛。

「而且近日發生在東方魔幻世界的亂局，你也有份平定，作為一個學生……你參與了很多驚天動地的事件呢。」摩卡早已對前來實習的安德魯暗中調查，牠是一隻謹慎小心的黑貓。

「說起來……在魔幻學園的生活實在波折重重。」安德魯苦笑著說。

正確來說，是自從和迦南相遇後，安德魯便在有意無意間，被捲入充滿災難的漩渦。

「你這樣前途一片光明的學生，為什麼要來這不見經傳的小小萬事屋實習？該不會把災難帶來這裡吧？」因為摩卡不只是舒雅的寵物，也是舒雅的守護者，所以牠對安德魯**處處提防**。

安德魯心中有愧，他的確是懷著目的前來實習，但他沒有想過會連累他人陷入困境。

「摩卡！你這樣說是很失禮的！」幸好舒雅剛好換好衣服，來為安德魯解圍。

舒雅工作時會刻意挑選讓自己看上去成熟穩重的工作服，這令前來委託的人更加安心，畢竟舒雅的樣貌在委託人眼中很年輕，容易對她的工作能力有所質疑。

「防人之心不可無啊！」摩卡疑心重也不無道理，現在的魔幻世界和人界，關係是近百年以來最差。

「*安德魯不是外人，他挑選了我們的萬事屋實習，就是和我們同甘共苦的家人啦。*」舒雅相信人性本善，把萬事屋的員工當作家人。

魔幻世界的局勢目前還不是絕對平靜的，東西兩岸雖然達成和平共識，但雙方也在為迎接人類的侵犯而正做準備。

「兩位，我來人界實習，的確是有目的……」安德魯決定**坦誠相告**，這是建立信任的最佳方法。

於是安德魯把迦南的事，一五一十向舒雅和摩卡詳盡說明，包括他對迦南的心意，還有她是女王轉生的事實。

安德魯和迦南成功阻止了不死皇朝的降臨，而在阿諾特的猛烈追擊下，天啟財團的大本營已被搗破並且損失慘重。天啟財團變得低調下來，但這不等於威脅已經解除，因為為天啟財團撐腰的獵人公會，同樣絕非善類。

以上就是妖魔跟人類目前的關係，危機**一觸即發**。

第二章 緊急狀態

獵人公會經歷了天啟財團一役後元氣大傷，數以十計的專業獵人慘遭九頭蛇海德拉和他的黨羽殺害，當中更包括與艾爾文和艾翠絲**關係密切**的分部長。

海德拉重獲自由，意味著黑魔法派捲土重來只是時間問題，更嚴重的問題是黑魔法派現在正藏匿在人界之內，這對於整體人類安全構成了重大威脅。

獵人公會總部的禮堂內，七大天使的彩繪玻璃窗其中兩塊破裂了，這代表當中的兩名守望者經已身亡，他們都是**超群絕倫**的頂尖獵人，身手不下於加百列，他們的離世是對公會沉重的打擊。

「米迦勒，他們都是在單獨行動時慘遭毒手，案發現場留下激烈打鬥的痕跡，據我估計……他們都是在**以寡敵眾**的情況下遇害。」加百列神色凝重，守望者被殺害是自公會成立以來鮮有的案件，這意味著兇手絕非泛泛之輩。

「這顯然是有預謀的襲擊……」米迦勒是守望者中的主腦，也是整個獵人公會的代理人，面對任何情況亦表現出鎮定自若、運籌帷幄的姿態。

「不只守望者，還有為數不少的專業獵人，在九頭蛇回復自由後便遇襲身亡，這顯然是黑魔法派的所為。」神火之守望者——黑色短髮的烏列爾雖然雙目失明，但他作為守望者的年資僅次於米迦勒。

「為免事態繼續惡化，向全體獵人發出紅色警報吧！」米迦勒同意烏列爾的推測。

紅色警報是最高的警戒級別，代表人界正面對高危險性的妖魔威脅，獵人公會進入緊急狀態。

「不過是一群連魔幻學園的學生也鬥不過的烏合之眾，有必要這麼大驚小怪嘛？」守望者中唯一的女生，**雷霆之守望者**——膚色黝黑的雷米爾，她同時是年紀最輕的守望者說。

「兩名守望者先後被殺，這嚴重影響公會的聲望和權威，如果獵人連自身安全也沒法保障，又如何保護廣大群眾？」米迦勒相信這才只是個開始，黑魔法派的暴力行動會持續下去，逐步升級。

「更重要的是……要如何保護女王？」海德拉早已知道迦南是女王的轉生，她早晚會成為被追殺的對象，這才是米迦勒最擔心的事。

公會，是建基於對女王的信仰，以守護人類福祉為優先的組織。在女王轉生重臨之前，

公會一直由守望者米迦勒代為領導，所以米迦勒的說話舉足輕重，全體獵人也得服從他的命令。

「那丫頭的力量飄忽不定，我們花費這麼多人力物力去保護她，她真的有這樣的價值嗎？」唯獨雷米爾對女王抱有懷疑。

「現在的女王還處於覺醒階段，待她完全掌握那份力量，黑魔法派又何足掛齒。」米迦勒透過未來的約娜證實，迦南就是女王的轉生，也知道了改變未來的一個關鍵。

「但單靠時間和訓練，是不足夠的。現在女王最需要的，是接受思想教育，好讓她明白自己的身份、自己的立場、自己的責任。」這才是獵人總部向迦南發出實習邀請的真正原因，米迦勒不只要保護迦南，還要改造迦南。

「女王現在每天的活動也在獵人總部範圍內，我會負責二十四小時保護她。」加百列毛遂自薦，這是公會當前最重要的任務。

「雷米爾，你和加百列共同擔起這任務吧，也藉此和女王打好關係。這不是請求，而是命令！」米迦勒嚴肅的說。

「吓……真麻煩……」雖然雷米爾不情不願，但也不能違抗命令。

「我們所做的一切，是為了人類整體的福祉。」米迦勒一直對公會的重要人員灌輸這訊息，是對他們進行的思想教育。

人類是擁有自由意志的高等生物，但這是可以改變和被改造的，長時間的思想教育能改變人類對事物的看法，甚至令人把黑當作白，白當作黑。

「拉斐爾呢？在這緊張關頭他還不出席會議，又去了狩獵妖魔嗎？」加百列不見最後一位守望者——**鋼鐵之守望者**的蹤影；這位守望者對妖魔恨之入骨。

「不，他正在總部內。他說要看看這裡有沒有能頂替守望者空缺的人才。」米迦勒說。

「哈！守望者的制服只有頂尖實力的獵人才有資格穿上，哪有這麼容易就能找到替代。」雷米爾輕蔑地笑著說。

「的而且確，但近日有兩名獵人表現出眾，加以培訓後或者真的能登上這殿堂。」米迦勒一直留意具備**發展潛力**的人才，在任何組織裡，人才都是寶貴的資產。

獵人總部訓練場內，兩名被視作寶貴人才的年輕獵人，正在和守望者拉斐爾進行對打練習。

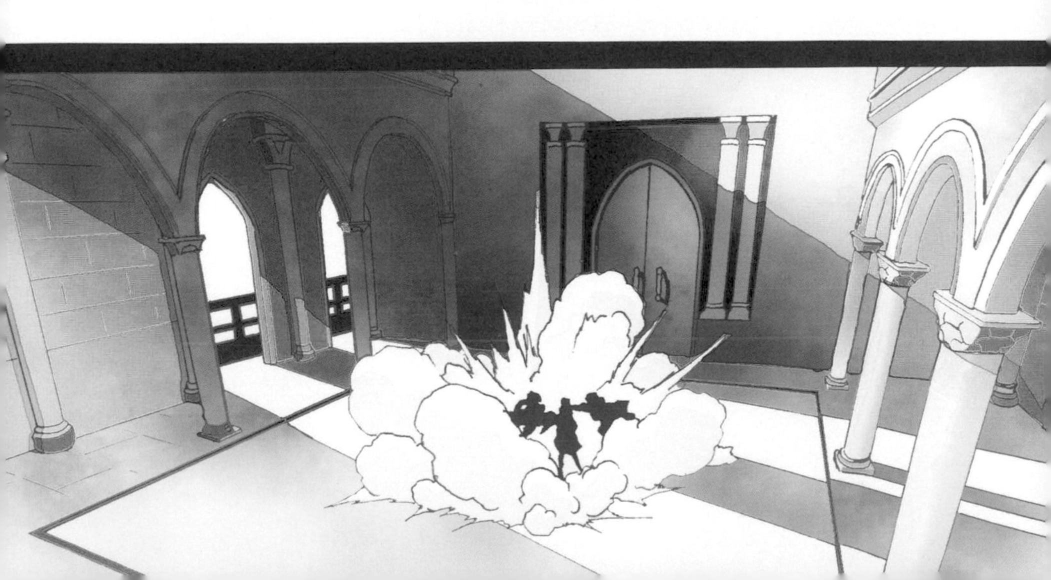

戴著**鋼鐵面具**的拉斐爾以一己之力，同時面對艾爾文和艾翠絲的夾擊，這面具是他為了隱藏起自己的表情而打造的鋼鐵面具。

「你的劍術不錯，但力度不足。」拉斐爾徒手擋下艾爾文的揮劍，以鋼鐵魔法強化自己的軀體後，他的雙手便是攻守兼備的武器。

「還未完結。」艾爾文側身閃避，炮彈從後而來直擊拉斐爾的胸膛，來自艾翠絲手上的火箭炮。

「合作得很有默契，但還是不足夠。」鋼鐵之守望者毫無損傷。

「魔導靈，加速貓頭鷹。」重炮無功而返，艾翠絲轉換武器，從身旁的金剛巨猩手上接過重型機關槍，射出能牽制拉斐爾行動的密集攻擊。

負責搭載武器的猩猩、能提高攻擊速度的貓頭鷹，艾翠絲只要善用魔導靈，實力便能更上層樓。

「銀劍解放，**聖騎斬馬刀**！」艾爾文緊接妹妹的攻勢，一躍而起揮舞大刀。

「你們的確有成為守望者的潛質。」大刀雖然被拉斐爾兩臂格擋，但兩人的實力已經得到他的認同。

經歷分部長的離世後，艾翠絲下定決心要登上公會的高位，**改變公會的行事作風和制度，成為守望者是最快的捷徑**。

「這麼簡單就能讓我們成為守望者嗎？」這場對練是對艾翠絲和艾爾文的測試。

「當然不是，要晉升為守望者除了實力以外，功績也是十分重要的。」拉斐爾知道這兩兄妹和妖魔關係不淺，這不是他樂見的事。

身為獵人就要斬妖除魔，被妖魔迷惑的豈能委以重任？

「你們從明天開始跟隨我執勤，累積足夠的表現後便能和我一樣，成為獵人中最高榮耀的守望者。」右京死後，丹妮絲便辭職離開了公會，艾爾文和艾翠絲失去了師傅，而拉斐爾看出他們有晉升的潛力，這時機可謂恰到好處。

右京死後，丹妮絲便辭職離開了公會，艾爾文和艾翠絲失去了師父，而拉斐爾看出他們有晉升的潛力，這時機可謂**恰到好處**。

但是，如果要被扭曲、被改造，才能登上高峰，這又是不是正確的選擇呢？

對練結束，兩兄妹步向總部大樓中的宿舍，在這黑魔法派妖魔肆虐的非常時期，公會擔心獵人在外會遭受襲擊。

「哥哥，你和人魚公主還有在聯絡嗎？」艾翠絲知道艾爾文和愛莉有著友達以上的關係。

「總部禁止獵人和妖魔私下聯繫，我們已有一個月連一句說話也談不上了。」艾爾文略顯失落，總部比分部嚴格得多。

「你和阿諾特呢？」自從阿諾特離開後，艾翠絲便鮮有再露出笑容，艾爾文察覺到自己在魔幻世界的期間，妹妹和吸血鬼王子已暗生情愫。

「我和阿諾特……還是不再見面比較好。」艾翠絲是獵人，阿諾特是重犯，若然**狹路相逢**，他們之間誓必便有人受傷。

「不過獵人總部的氣氛……真的令我覺得很不舒服。」艾爾文喜歡在分部自由自在的感覺。

對女王的信仰、仇恨妖魔的渲染，這些都是總部瀰漫的氣氛，是在分部沒有的壓迫感。

「唯有擁有決策的權力，我們才能改變這個地方，讓妖魔和人類同樣受到**公平對待**。」艾翠絲心意已決，她要改革不公的制度。

逃避只會留下遺憾，唯有奮力作出改變，才能無悔無怨。

「哥哥，那女孩……是迦南嗎？」艾翠絲看見熟悉的女生在不遠處走過。

「迦南！」艾爾文高聲呼喊，但女生沒有回應，慢慢走遠。

「我沒有看錯，是迦南對吧？」艾翠絲問。

「是啊……」艾爾文相信自己的眼睛，但卻感覺迦南十分陌生，她的眼神失去了昔日的神采。

在成長的過程中，很多關係也會改變，過去並肩而行的人，也很可能變成形同陌路。

第三章

實習生的首次任務

魔法萬事屋內，聽完安德魯訴說他過去的經歷後，舒雅便聲淚俱下。

「舒雅……你不要再哭了，你看安德魯的表情多麼尷尬。」黑貓摩卡為主人遞上紙巾。

「但他們渡過這麼多難關，難得重逢了，現在又被迫分開……這真的太可惜嘛！」舒雅**感情豐富**，是個容易落淚的女孩。

「所以我才選擇在人界實習，雖然現在獵人和妖魔處於緊張的局勢，但只要留在這裡，我相信一定能和迦南見面的。」安德魯忐忑不安，自從離開女兒國後，他便開始有不好的預感。

「你的私生活我無權過問，但既然你是萬事屋的實習生，就得好好工作。」摩卡以前輩的身份說。

「有道理，哈哈！我差點忘記你是來實習的。」冒失的舒雅笑著說。

「舒雅……你是店長呀，要表現得**成熟可靠**才對呀！」摩卡經常要督促舒雅這個新手店長。

「那……萬事屋的工作，到底是怎麼樣的？」安德魯對於萬事屋的工作範疇其實一知半解，環顧屋內四面牆壁都被書櫃覆蓋，比起工作場所，更像一間書店。

「萬事屋……就是『萬事都能夠辦妥』的意思，只是不是違背良心和法紀，任何客人的委託我們也會接受，小至尋找走失的小狗，大至拯救被綁架的人質，我們都能辦妥。」舒雅自信滿滿的說。

「好像很厲害呢。」安德魯心想，這和偵探事務所應該是差不多的行業。

「世上並不只有大事件需要到魔法師登場，每一條大街小巷也有著徬徨無助的人，舒雅的原則是無分大小也服務周到。」摩卡說。

「我明白了。」安德魯心領神會，魔法不應只是戰鬥工具，但過去的日子裡，他只把魔法用在鬥爭上。

「那麼我們馬上開始今天的工作吧！記事簿……摩卡，我的記事簿呢？」舒雅翻箱倒籠，也找不到記錄委託工作的記事簿。

「舒雅雖然是店長，但她操心大意而且有

點笨拙……你身為萬事屋實習生的工作，和業務秘書一樣，幫舒雅打點一切，以免她在客人面前出洋相。」黑貓摩卡釋放出魔力，牠不只是會說話的貓。

「記事簿在這裡。」摩卡以轉移魔法變出紀事簿，牠不需要魔法杖就能使出各種魔法。

「*摩卡前輩原來也是魔法師嗎？*」安德魯感到大開眼界，會魔法的貓實在聞所未聞。

「我作為舒雅的監護人，會使用魔法又有何出奇？」摩卡得意洋洋地說。

「和客人約定的時間快到了，我們馬上出發吧！」舒雅確認了今天的行程後興奮地說，她十分享受這份工作。

魔法萬事屋，是舒雅從零開始一手一腳建立的，這是她引以自豪的工作。

「客人的地址是……」舒雅走到門前，扭

動木門旁邊的三個按鈕。

「怎麼了？」安德魯伸手想扭開木柄，卻被摩卡制止。

「**這不是普通的木門，你好好看著吧。**」摩卡站在安德魯肩膀上說。

「準備就緒，開始今天的工作吧！」雖然舒雅有點冒失和大意，但說到魔法應用，她可是十分專業。

舒雅推開木門，門外的光景和安德魯較早前看到的截然不同，他們步出萬事屋，便進入了郊外一個**佔地甚廣**的牧場。

「只要輸入正確的座標，萬事屋的魔法大門便能通往人界內座標所對應的地方，非常適合時常賴床的舒雅。」摩卡說。

安德魯眼前一亮，學園教授了學生很多理論和知識，卻沒有引導學生主動創作。

舒雅是**製作魔法道具的專家**，不

是自創的魔法道具
嗎？我在學院未曾
見過。

少獵人使用的武器也是創自她的手筆。

「伯朗叔叔！我們來了！」舒雅奔向牧場主人，客人在萬事屋作出委託後，舒雅便會親自出馬，實地調查。

這次的委託人是牧場的主人，近日牧場內的牲畜突然無故失蹤，牛羊的數目在不知不覺間持續下降，長此下去，牧場定必蒙受嚴重的損失。

舒雅對安德魯讚口不絕。

「那就有勞你們了。」伯朗和大多數人類一樣，不知道世上存在妖魔。

「喵～」摩卡把頭顱靠向伯朗的腳邊，向他撒嬌。

「摩卡真可愛，要吃零食嗎？」伯朗不知道摩卡是頭會說話和魔法的黑貓。

人類對超越自己認知的事物都會產生恐懼和不安，

這是獵人公會一直對大眾封鎖有關妖魔消息的主要原因。

「摩卡就拜托叔叔你了。安德魯，我們開始工作吧。」有摩卡分散開委託人的注意力，舒雅便能放心使用魔法道具，不怕魔法暴露人前。

刻意散播和魔幻世界相關的消息，造成社會大眾恐慌，是有違公會守則的。

「舒雅，你手上的是什麼道具？」安德魯問。

「這是用來**檢測魔力反應的雷達**，我們首要的工作，是確定這次事件和妖魔有沒有關係。」舒雅仔細觀察，雷達上只檢測到萬事屋一行人的反應。

「你認為這事件和妖魔有關？」安德魯第一次參與調查，對辦案細節充滿好奇。

「我也不肯定啊，但如果核實是妖魔的非法行為，我們便須要和公會匯報。」

雖然附近沒有他們以外的魔力，但舒雅留意到牧場內的動物都有著不尋常的反應。

「公會……」現在安德魯最想去的地方，就是公會總部，那裡是妖魔的禁地，但同時是迦南所在的地方。

「牧場沒有被闖入的痕跡，犯人到底是如何帶走牲畜呢？」舒雅觀察到圍籬**完好無缺**，草地上也沒有大型車輛駛過的痕跡。

「安德魯，你有沒有發覺，牠們好像很害怕你？」自從安德魯進入牧場後，牛羊們都在瑟瑟發抖，全都不敢靠近安德魯。

動物對於危險的氣息是特別敏感的，哪怕偽裝得多麼像平凡的人類，也難以瞞天過海。

「血腥味……」吸血鬼對血液的氣味特別很敏感，對血癮未完全清除的安德魯更甚。

危險的氣息難以瞞騙，殺戮的痕跡更加難以隱藏。

日落西山，安德魯引領舒雅隨血腥味的來源一直走，直至到達牧場外的森林深處，才發現危險經已來到他們身邊。

第四章

九頭蛇造訪

一個月前阿諾特雖然**旗開得勝**，大破天啟財團的大本營和兩個重要據點，但他也付出了沉重的代價。作為根據地的教堂遭到獵人摧毀，雖然沒有造成人命傷亡，但辛辛苦苦建立的家已化為烏有。

荒廢的地鐵站內，阿諾特一伙人把它改造成適合居住的環境，這地鐵站在施工中途被擱置，多年來也沒有人進入，是十分適合藏匿的地點。

「老大，你已整天沒有吃過東西了。」黑狼奇洛十分擔心，阿諾特從天啟財團回來後便心事重重，**神不守舍**。

「我沒有食慾，你們多吃點吧。」雖然打了勝仗，但阿諾特一伙人的處境比過去更艱難和苦困。

「你得照顧你自己的身體，你是我們的老大，是我們的依靠呀。」鳥人露比安慰著說。

失去了家園、失落了愛情，阿諾特換來刑罰更重的罪責和通緝令。

「老大，其實這裡也不錯呀，地方比以前更空曠，我們可以玩捉迷藏！」小貓女菲蕾牽著小靈**東奔西跑**。

而經此一役後，阿諾特並非只有損失，追隨他的人界妖魔比以前更加多了，他贏得了聲望，成為人界妖魔中舉足輕重的新勢力，這和他的本意是相同的。

「你們喜歡這裡就好，我想呼吸一下新鮮空氣，你們不用擔心我。」阿諾特輕拍菲蕾的頭，困擾他的問題不只有住所和刑罰。

「還有很多像小靈一樣經人體實驗後，能成功施展魔法的人，而這些人就在獵人公會的總部內……」阿諾特走上地面，看著皎潔的明月整理

思緒，右京的遺言，一直在他腦海中揮之不去。

「加百列曾說過他們的終極目標，是令全人類也能施展魔法。如果右京沒有欺騙我，那麼獵人公會……就是我不得不摧毀的下一個對象。」阿諾特是站在妖魔這一方的，假如全人類也得到魔法的力量，魔幻世界將會面臨史無前例最大的威脅。

天啟財團只是一個技術開發和提供資金的團體，受益於它的獵人公會才更具侵略性，所以每當阿諾特對付天啟財團，也很快面對獵人總部的守望者前來阻攔，他們是**蛇鼠一窩**、利害關係一致的共同體。

「艾翠絲那個傻丫頭，還對這樣的組織誓死效忠……」而艾翠絲是站在人類這一方，長此下去阿諾特終將和她**兵戎相見**，這令阿諾特十分困擾。

然而，令阿諾特困擾的，還有另一個人。

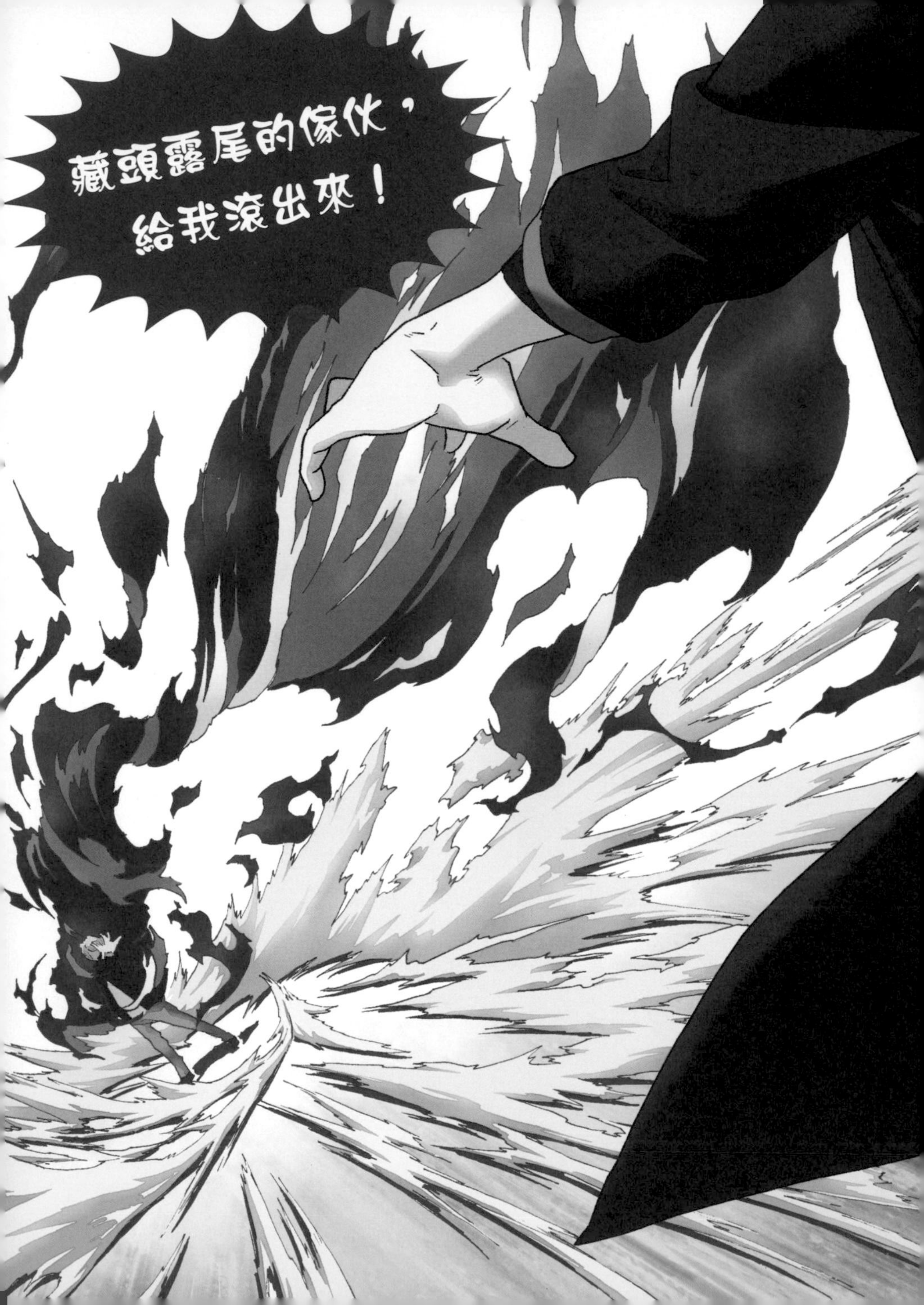
藏頭露尾的傢伙，
給我滾出來！

稍安勿躁，雖然你曾背叛過我，但依娃說我能重獲自由，你功不可沒，所以我們過去的恩怨便一筆勾銷吧！

「你不要誤會，我的目標只在阻礙人類的野心，你是生是死我一點也不關心。」黑魔法派全面復蘇並在人界大肆殺戮，這是阿諾特所導致的。

在向國王阿瑟請求釋放黑魔法派幹部增援的時候，阿諾特沒有想到後果會有多嚴重，他的而且確成功摧毀了一個人類的邪惡集團，但同時助長了黑魔法派**東山再起**。

「我們的目標是一致的，既然你我有著共同的敵人，你好應該回來黑魔法派助我一臂之力吧。***妖魔不應該躲藏在地底下，要躲避的應該是人類才對。***」海德拉和阿諾特的立場是相同的，他從依娃口中得知獵人公會和天啟財團的所作所為。

「不要把我和你這殺人狂相提並論，我在人界沒有濫殺過一個無辜的人！」阿諾特咬牙切齒，殺死右京是為勢所迫，還有出於對右京的尊重。

分部長把艾爾文和艾翠絲視如己出，阿諾特和他在短暫的相處過程中，得到他不少照顧，對於他的離世，阿諾特十分遺憾。

「不把獵人公會連根拔起，魔幻世界早晚會遭到他們侵害，特別在人類的女王覺醒後，他們隨時隨地也能穿梭兩界，我們的家園正處於沒有防備的狀態呀！」海德拉的目標是女王，和上輩子一模一樣。

「迦南……」阿諾特初次在學院遇見迦南時，就看出她與別不同。

「只需要犧牲少數人的生命，就能確保大多數人的平安，我這樣做是為**顧全大局**。」海德拉是忠於自己，堅定不移的領袖，只要他認為是對的，哪怕世人反對也絕不動搖。

「人類之中有死不足惜的壞份子，但妖魔之中也有像你一樣殺人如麻的狂徒，我是不會

助紂為虐的。」阿諾特沒有忘記對艾翠絲作出的承諾，他心目中的正義還是**不偏不倚**。

「我是不會勉強你的，但是我們不先下手為強，到時候被大規模屠殺的，就會是你我的同胞。你所保護的妖魔也不會有例外，你好好想清楚吧。」道不同不相為謀，海德拉說罷便轉身離開。

曾經，海德拉一心只為讓妖魔重返家園，這片土地本來就是妖魔和人類共同生活的地方。但經過被天啟財團囚禁後，海德拉對人類的憎恨急劇加深，獵人公會和黑魔法派的大戰在所難免。

女王、帝王和九頭蛇，三人的前世在兩族的鬥爭中落得悲劇收場，現在他們的轉生齊集於人界，就像命運的安排一樣。

第五章

黑色魔獸

月黑風高的森林瀰漫著**陰森恐怖**的氣氛，安德魯追隨著血液的腥臭味一直前行，他相信導致牧場牲畜離奇失蹤的原因就在此地。

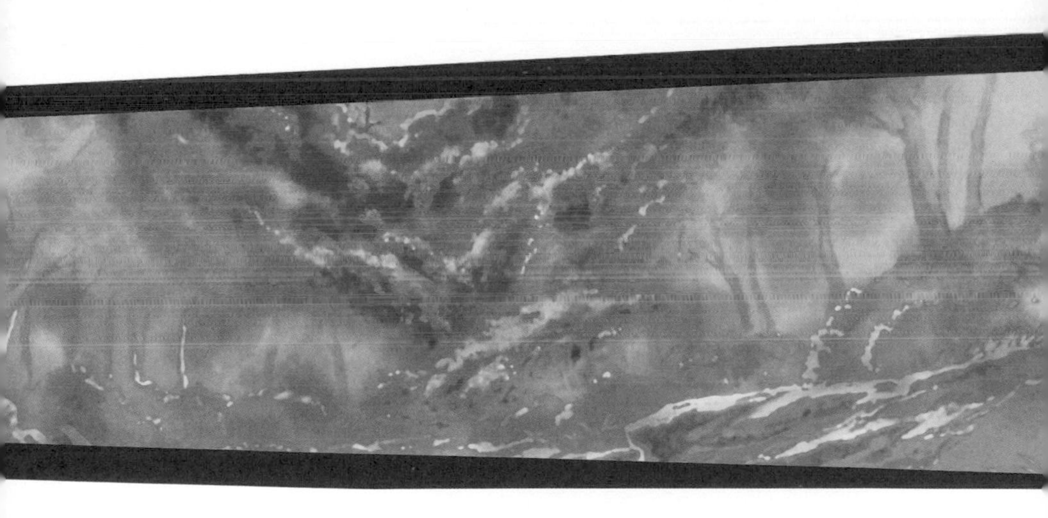

「安德魯……時候已不早了，不如明天一早我們再來調查吧。」舒雅**戰戰兢兢**的說。

「不，明天犯人很有可能已逃之夭夭了，要抓住他就要趁現在。」氣味愈來愈濃烈，安德魯相信犯人近在咫尺，手執魔法杖的他已準備就緒。

安德魯已習慣了身處危險之中，由於他曾對付過無數強大的對手，所以他對自己的實力充滿信心。

「舒雅，你快來看看。」安德魯終於找到血腥味的來源。

血腥味源自於牛羊的屍體，牠們遭受到殘忍殺害，撕裂和咬噬的痕跡**隨處可見**。

「太殘忍了……」舒雅雖然不忍直視，但案發現場藏著緝拿犯人的重要線索，所以就算場面多麼血腥，她也會**硬著頭皮**，仔細調查。

「會不會是森林裡的動物作案？牠們先跑到牧場，把牛羊抓到這裡，然後大快朵頤。」安德魯從屍體上的痕跡，推斷出犯人的作案目的是為了充飢。

「這的確像大型動物的獵食痕跡，但無論

是牧場還是這裡，我也沒有發現可疑的腳印。」

大型動物身體沉重，在牧場和森林也難以避免留下足跡。

「再者，以獅子或老虎的捕食習慣，是不會把獵物帶走，而是會在當刻獵殺進食的。」

舒雅留意到動物屍體上一條細長的紅色毛髮，很可能是犯人不自覺地留下的。

「**有什麼在附近監視著我們，而且充滿敵意……**」安德魯察覺到濃濃殺氣隱藏在這森林中。

「難道是**奇美拉**？」紅色的毛髮、能飛翔的猛獸，舒雅想起這些都是魔獸，奇美拉的特徵。

灰色的猛獸飛撲向安德魯，安德魯及時築起魔法屏障抵擋襲擊。

「**奇美拉？魔幻世界獨有的魔獸為什麼會出現在人界？**」奇美拉的外形有如長有蝙蝠翅膀的獅子，鬢毛呈鮮黃色，皮膚堅韌得能擋刀刃，是危險性極高的肉食性魔獸。

奇美拉不只力氣驚人，更擅長使用火焰魔法，當牠眼睛冒出紅光，就是火焰來襲的徵兆。

「無論你是怎樣來到人界，這裡也不是你該逗留的地方。」奇美拉口吐烈焰，安德魯的防禦快要被突破。

「雷霆……」雷電魔法凝聚在魔法杖上，安德魯準備以大型魔法還以顏色。

「安德魯，小心！」舒雅驚呼之際，安德魯已經遭到暗算。

除了蝙蝠翅膀外，奇美拉還有一個特定的特徵——牠有一條長長的尾巴，尾巴末端長有蛇的頭部。

「是帶有麻痹毒性的蛇牙……」安德魯握住魔法杖的右手乏力麻痹，遭到奇美拉的蛇頭尾巴偷襲後，蛇毒迅速蔓延。

就算在魔幻世界，成年的奇美拉也是令眾多妖魔感到棘手的兇殘魔獸。

「**魔法道具，音爆球！**」舒雅拋出銀色的圓形道具，道具碰撞地面的瞬間發出**震耳欲聾**的刺耳響聲。

奇美拉的耳朵十分敏感，刺耳的巨響令牠感到一陣暈眩，暫停攻擊。

「這是治療斗篷，安德魯你蓋上後不要亂動。」舒雅隨身攜帶的斜肩背包殊不簡單，容量驚人，能收納各式各樣的魔法道具。

「魔法書，第四頁——**鋼鐵束縛魔法**！」作為魔法師，舒雅當然也配備了魔法杖和魔法書，她的書上還夾著一張獨特的魔法道具。

薄薄的金屬書簽其實是聲控的輔助工具，會按照舒雅指示把魔法書翻開到相應的頁數，配合舒雅進攻。

鐵鏈束縛住奇美拉的四肢，但牠仍然不甘示弱，就算弄得皮開肉綻也頑強掙扎，最終成功衝破束縛，振翅高飛。

然而安德魯還有傷在身，所以舒雅決定以實習生的安全為優先，眼白白看著牠趁機會逃脫。

「安德魯，你的傷勢如何？右手還能活動嗎？」實習生首次出任務便身陷險境，舒雅十分內疚。

「我沒有大礙，我們快去追那頭奇美拉吧。」安德魯**戰意高昂**，展開白色翅膀準備出擊。

「不，我們馬上回萬事屋，今天的調查到此為止。」舒雅意識到問題嚴重。

「但是……」安德魯面對過無數強敵，這程度的傷勢他不放在眼內。

「不要但是了！無論在什麼情況，員工的人身安全才是最優先要考慮的，你清楚了嗎？」舒雅很少發怒，但在這問題上她必須嚴肅認真處理。

「我明白了……」安德魯參與了太多鬥爭，他已經在不知不覺間對危險習以為常，甚至罔顧自身安全。

迦南也一樣，太多的鬥爭發生在她和安德魯的成長階段，那些應該由成年人去肩負的責任也落在他們的肩膀上，令他們急速變得成熟，卻忘記了自己仍是該受保護的**莘莘學子**。

回到魔法萬事屋後，舒雅立即替安德魯解毒療傷，要成為獨當一面的魔法師，除了戰鬥外還有很多東西需要學習。

「摩卡！不准欺負安德魯！」舒雅邊為安德魯包紮傷口邊說。

奇美拉仍未落網，安德魯擔心自己的過失會導致人命傷亡。

「你不用自責，這次事件我亦**責無旁貸**，但有一件事你必須答應我，否則我不能繼續讓你在萬事屋實習。」舒雅認真地說。

「請說。」安德魯不想離開，他有必須留在人界的理由。

「往後在工作期間，你未得到我同意之前，不得擅自行動。」舒雅本來就反對在天黑時進入森林搜索，是安德魯**一意孤行**。

「我答應你。」一流的魔法師必須學會審視局勢，才不會害自己和他人置身險境。這是安德魯要在萬事屋學會的事。

「時候不早了，我送你到魔幻學園安排的宿舍吧。」舒雅很滿意安德魯耿直的性格。**經一事、長一智**，她相信安德魯會表現得愈來愈好。

「宿舍？」安德魯完全忘記了在人界住宿的問題。

「對呀，不然你想睡在萬事屋的地板嗎？」摩卡說。

每年也有不少對人界充滿好奇的魔幻學園學生，選擇在人界實習。雖然因為兩族的局勢緊張導致今年來人界實習的學生大幅減少，但在宿舍裡也有著安德魯熟悉的面孔。人界實習之旅，才剛剛揭開序幕。

第六章

熟悉的面孔

在很久很久以前，魔幻學園已為學生在人界建立宿舍，這中世紀歐洲風格的三層大屋內設備一應俱全，學生有自己獨立的房間，中央大廳是屬於大家的公共空間，**不同種族的學生互相幫助，互相遷就，生活在同一屋簷之下**。

這幢宿舍，是人界和魔幻世界曾經關係友好的象徵。

「不要因為受傷就害怕了啊，明天記得準時上班。」臨別前黑貓摩卡還不忘逗弄安德魯一番。

「知道。」安德魯只好報以微笑。

「那明天見啦，晚安。」舒雅抱著摩卡離開，第一天的實習工作終於結束。

「舒雅，回去後我要吃金槍魚罐罐。」金槍魚口味的罐頭貓糧，是摩卡最愛的食物。

「不給你，因為你整天都在欺負安德魯。」在舒雅和摩卡身邊，安德魯感覺十分溫馨熱鬧，困擾他的苦惱也能暫時忘記。

「我哪有欺負他？我只不過是以職場前輩的身份鞭策他罷了。」但熱鬧過後，寂寞的感覺便倍增明顯。

看著冰冷陌生的大門，安德魯還抱著一絲希望，既然這裡是學園為實習生提供的宿舍，那麼迦南會不會就在大門後，默默地等待著他？

「果然不在呢……」雖然失望，但這也是在安德魯意料之內。

卡爾正在皇城當實習士兵、四葉在東方跟隨美食獵人**遊歷四方**、還有在海洋之都學習製作魔法樂器的愛莉，安德魯最要好的朋友也和他天各一方。

嗯！很久不見了，大家還好嗎？

「那不是安德魯嗎？」

宿舍二樓的樓梯上，有人正為安德魯的出現驚嘆，慶幸在人界的實習生中，還是有安德魯熟悉的面孔。

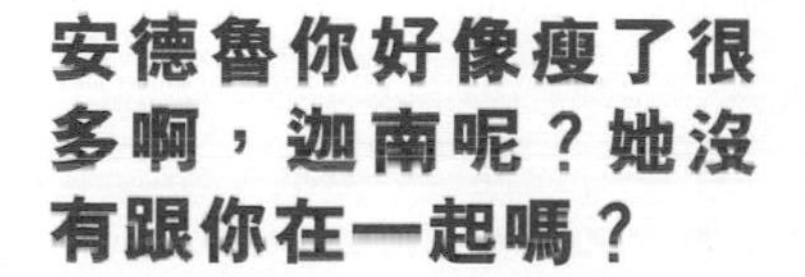

「米露、美杜莎，你們也在人界實習啦？」安德魯**喜出望外**。

貓女米露和蛇髮魔女美杜莎，兩人都曾是安德魯和迦南的同班同學，能在人界重遇實屬緣分。

米露隨身攜帶著相機。受僱於「魔幻日報」的米露，在人界的實習工作是跟蹤、調查和拍攝。美杜莎主修的是和醫療有關的學科，特意前來人界學習人類的醫療技術，希望日後為魔幻世界受病痛折磨的民眾帶來幫助。

看見熟悉的面孔，安德魯立即回想起昔日在學園快樂的時光，但在那些片段中，也必定有著迦南。

「**安德魯，你怎麼哭起來啦？**」久別重逢雖然是開心的事，但安德魯的反應讓米露嚇了一跳。

「怎麼啦？是不習慣在人界生活嗎？是思鄉病發作嗎？要吃藥嗎？」美杜莎也感到手足無措。

「傻瓜，今天才實習的第一天，哪會這麼快有**思鄉病**？」米露說。

「我只是……覺得能再見到你們，真的太

好了。」安德魯雖然眼泛淚光，但他是真心感到快樂，感受到溫暖的。

看著喜極而泣的大男孩，米露和美杜莎不禁臉紅起來，能在異國之地重遇故友，的確是值得慶幸的事。

宿舍底層大廳的公共空間，三人圍坐在沙發上談論近況，當米露和美杜莎得知迦南受僱於獵人公會總部後，無不露出擔憂的表情。

「說到底迦南也是人類的一份子……我相信獵人是不會為難她的，你不用太擔心。」米露對兩界的新聞時事也有留意，現在的獵人公會對妖魔管制嚴厲，甚至把所有妖魔定義為潛在罪犯。

「不過迦南現在和外界完全失去聯繫，就像被軟禁一樣，難怪安德魯愁眉苦臉呢。」美杜莎和迦南從競敵轉變為朋友，她希望迦南和安德魯有美好的結果。

而且黑魔法肆虐人界，九頭蛇仍然逍遙法外，迦南受到公會保護也許未嘗不是好事。

黑魔法派的動向深受關注，但現時為止米露依然沒法鎖定他們的所在地。

安德魯感覺這並不是單純的實習安排，美杜莎輕拍安德魯的肩以表示安慰。

「對呀，別忘記在實習期間的表現是會影響到我們能否順利畢業的。」米露希望在畢業典禮上，大家能齊齊整整，聚首一堂。

實習時間為期兩年，不少學生也會在畢業後回到實習的場所，正式投入社會，所以這兩年對學生今後的發展**至關重要**；安德魯也必須接受現實，認真面對萬事屋的工作。

但如果失去聯絡兩年這麼久，迦南和安德魯的關係還能回復到之前的模樣嗎？

第七章
線索・上

魔法萬事屋內，舒雅等人雖然成功調查出牧場牲口失蹤的真正原因，算是完成了牧場主人伯朗的委託，但魔獸奇美拉逃離了森林後到底身在何處？會不會造成更大的傷亡？

這些問題令舒雅**輾轉反側**、徹夜未眠。

「早安。」翌日早上，安德魯準時回到萬事屋。

不錯嘛，我還以為你會被嚇怕，不再回來上班呢。

摩卡正在清理自己的毛髮，一邊舔著掌心軟軟的肉球一邊說。

「當然不會，我們今天的工作是什麼？」安德魯其實很想嘗試撫摸貓咪，又怕惹摩卡前輩生氣。

我們要繼續追尋奇美拉的下落，放任不管的話我怕遲早會有人遇害，到時候公會獵人介入，那頭奇美拉便必死無疑。

萬事屋藏書非常多，舒雅拿出當中有提及奇美拉的典籍，閱讀是她除了睡覺外最大的興趣。

「公會獵人？」安德魯現在對公會二字十分敏感。

「公會一般只處理和妖魔相關的事務，但一旦有人類因魔獸受傷，便會派出獵人把牠就地正法。」摩卡很討厭公會，過去牠就被獵人盯上。

摩卡是動物，但牠不只會說話，還會使用魔法，在獵人眼中牠和魔獸分別並不大。

「安德魯，你知道妖魔和魔獸最大的分別嗎？」舒雅問。

「是**認知能力**，魔獸一般智力低下，而且沒法用語言來溝通。」安德魯說。

「叮咚！正確～就像人類和其他動物。動物一般而言不會傷害人類，魔獸也一樣，正常情況下奇美拉是不會傷害人類的，除非牠太飢餓。」舒雅尊重每一條生命，獵人卻不是這樣。

「奇美拉***食量驚人***，每天也需要攝取大量肉類。我們把奇美拉趕出了森林，如果牠找不到足夠食物，到時候難保牠不會襲擊人類。」所以舒雅認為自己有責任繼續追尋奇美拉。

「但我們要怎樣找出這頭奇美拉呢？」安德魯毫無頭緒。

「我們再去森林一趟吧！我有一些事情需要重回案發現場才能確認。」舒雅想拯救奇美拉，就像從前她在獵人手上拯救摩卡那樣。

於是，魔法萬事屋的三位成員再次來到森林，舒雅帶備了採集樣本的設備，仔細地觀察四周圍環境。

「我們要找的到底是什麼？」安德魯問。

「**奇美拉的巢穴。**」摩卡和舒雅共事已久，所以牠很清楚主人的想法。

「難道還有其他奇美拉在這森林裡嗎？」安德魯驚訝的說。

「我們不能排除這個可能，奇美拉為什麼要把獵物帶到森林才吃？這一點我覺得十分可

疑……因為奇美拉的習性其實和獅子十分相似，所以牠沒有必要把獵物帶離牧場。」舒雅昨晚通宵翻閱**《魔獸生態百科全書》**，加深對奇美拉的認識。

「所以你認為森林內還有牠的同類，對嗎？」安德魯說。

「叮咚！正確～」這是舒雅的口頭禪。

「在那邊。」摩卡帶頭領路，貓的嗅覺靈敏度雖然不及狗，但牠們的**嗅覺細胞**數量還是遠超人類。

舒雅和安德魯跟隨摩卡的步伐找到一個山洞，舒雅謹慎地再三檢測，確認沒有魔力反應才放心進入。

「沒有其他奇美拉啊，但從氣味可以判斷這裡一定是牠的藏身地點。」摩卡說。

「根據魔獸百科全書的記載，奇美拉是不會築建巢穴的，牠們**生性好強**，有自信面對

任何挑戰。」舒雅所認識的奇美拉如同百獸之王，但令人疑惑的是山洞內堆積起**大量樹葉**和**動物殘肢**。

「牠是想把這裡佈置成自己的家嗎？」摩卡以動物的思考角度推測奇美拉的目的。

「前輩，你認為那頭奇美拉還會不會回來這裡呢？」安德魯誠懇地問。

「落荒而逃的野獸是不會重回舊地的，更

何況牠有傷在身。」摩卡說。

「牠在掙扎的時候弄傷了四肢，地上應該還留有牠的血液，我需要採集一點血液樣本，然後交給專業人士分析。」所以舒雅帶備了採集工具。

「專業人士？是哪方面的專業人士？」安德魯好奇不已。

要成為魔法萬事屋的店長，不只使用魔法的能力要**爐火純青**，偵探的冷靜頭腦和分析能力也是缺一不可。在今時今日，還有一樣東西必不可少，那就是廣闊的人脈網絡。

第八章 線索‧下

人界之內除了魔法萬事屋外，還有很多小型機構做著和魔幻事物**息息相關**的工作。舒雅收集了奇美拉的血液樣本後，便帶著摩卡和安德魯來到隱藏在唐樓上的一個醫務診所。

「舒雅？你這次又和什麼麻煩事情扯上關係了？」唐醫生全身包裹著繃帶，看似木乃伊的他其實是個溫柔善良的仁醫。

「不要這麼說嘛，我只是好奇心比較強一點罷了！」舒雅是診所的常客，除了診症外，她還經常前來尋求他的專業意見。

「這年輕的小子是你的新員工嘛？讓我看看……**他不是人類呢，是吸血鬼嗎？**」不只人類，妖魔也是唐醫生的常客。

「唐醫生果然高明！一眼便能看出安德魯的身份。」舒雅邊點頭邊說。

「我最近和吸血鬼特別有緣呢……對了！需要看診的是誰？摩卡？還是安德魯？」妖魔在人界的圈子十分細小，唐醫生的常客中也有吸血鬼。

「不，我今次前來是因為有一個急需檢測的血液樣本，事關重大，能愈快知道結果愈好。」在人界能為妖魔和魔獸提供醫療服務的機構少之又少，舒雅只好冒昧前來打擾。

「但是碰巧我有一個病人預約了時間覆

診，而且他們應該快到達了……」說時遲　、那

時快，病人已打開診所大門。

預約了的病人正是因魔力石而獲得預知能力的小靈，阿諾特作為監護人帶著小靈和小貓女菲蕾前來，因為小靈需要定期檢查身體，確保魔力石不會危害她的性命。

安德魯十分驚訝，叛逆的吸血鬼王子變成了照顧小孩子的保姆。

「安德魯？為什麼你會在人界出現的？」阿諾特經已輟學，沒有經歷實習的階段。

「是貓咪啊！牠和菲蕾很相似啊！」小靈對摩卡很感興趣。

「**是嗎？但我比較可愛吧？**」小菲蕾也對摩卡充滿好奇。

「既然大家互相認識，事情就好辦得多了！」唐醫生一手抱起摩卡，並把牠放到兩個小孩身邊。

「你們能稍等我一會兒嗎？在等待的時間就由摩卡陪你們玩吧！」唐醫生說。

「*我最討厭的就是小孩子……*」摩卡一臉厭惡的表情。

「摩卡，不好意思這次要你**犧牲色相**了。」舒雅急需知道檢測結果，這關乎到在逃奇美拉的命運。

「我要求三個金槍魚罐罐以作補償。」摩卡唯有暫時成為菲蕾和小靈的玩伴，靜待檢查結果出爐。

「安德魯，能借一步說話嗎？」阿諾特有事想和安德魯商討。

上一次東方和人界同時面臨危機，是安德魯和阿諾特分頭行事，才能順利把人民傷亡減至最低，把災難扼殺在搖籃之內，這次的難題集中在人界中，他們或者可以同心協力，並肩作戰。

唐醫生在檢測舒雅帶來的血液期間，阿諾特把安德魯叫到唐樓天台上，他不希望他們的對話被其他人聽到。

「海德拉昨晚找我，他揚言要把公會總部夷為平地。」阿諾特說。

「**死性不改**……我就猜到他重獲自由後一定不會甘於平淡。」安德魯欠海德拉一份人情，在黑洞魔法中他受過海德拉的保護。

「這一點也在我意料之內，他的畢生志願是讓妖魔重返原來生活的世界，魔界樹的計畫雖然失敗了，但國王阿瑟把歷史真相告訴了所有國民，也讓了更多想到人界生活的妖魔作出自己的選擇，從這結論來說，海德拉沒有完全失敗。」阿諾特曾是黑魔法派的重要成員，熟知海德拉的想法，也對他部分的想法有所認同。

「但來到人界生活的妖魔，沒有得到自由和應得的權利，甚至被公會總部的獵人視為眼中釘，這是海德拉不能接受的。這狀況起源於海德拉，他一定會鬥爭到底，直至人界變成他理想的面貌。」阿諾特收容的妖魔當中，正正有不少是因海德拉而來到人界，過著**顛沛流離**的生活。

「最大的問題是海德拉是為達成目標，不計代價的危險分子……甚至把犧牲當做理所當然的事。」皇城保衛戰中，海德拉的妹妹**捨身成仁**，安德魯的父親也因此喪命。

「公會總部和天啟財團關係密切，他們都想大舉入侵魔幻世界，在我的眼中，這些人和海德拉沒有多大分別，所以這場紛爭無論誰活到最後，勝利的也非善類。」阿諾特說。

「公會總部真的有那麼差勁嗎？」安德魯心頭一顫，那是迦南所在的地方。

「我收到可靠的線報，說**有更多像小靈的那樣被進行人體實驗的孩子，正身處公會總部內。**」因實驗失敗的人命傷亡有多少難以估計，阿諾特更知道公會還想進行更大規模的實驗。

「迦南被邀到公會總部實習，難道也有什麼不可告人的秘密嗎？」安德魯忐忑不安，他已和迦南失去聯絡長達一個多月。

「迦南是海德拉的目標，所以我才跟你說這些話，因為我們……同樣有重要的人身在最危險的地方。」阿諾特想念著艾翠絲，他知道那倔強的女孩是不會逃避的。

從迦南小時候因為身懷金黃魔力而被黑魔法派綁架，到她長大後為了守護魔幻世界而和海德拉正面衝突，兩人的恩怨持續至今，這就

是九頭蛇和女王之間的宿命。

兩個吸血鬼男孩遙望遠方，他們看不清前路是明是暗，只祈求他們思念的人類女生能平平安安。

「有結果了，果然和舒雅你估計的一樣。」唐醫生把檢查報告交到舒雅手上。

「我們要快點找出奇美拉的下落，不然很有可能會釀成悲劇。」舒雅收拾行裝，要阻止悲劇發生必須爭分奪秒。

「終於可以離開這地獄了……」摩卡被兩個小孩弄得**筋疲力竭**。

同一時間，安德魯和阿諾特也回到診所了。

「安德魯你來得正好，我們要出發了。」舒雅**心急如焚**。

「出發？去哪裡？」安德魯不明所以。

「我們先回去萬事屋吧，我需要地圖，還有更多魔法道具。」要生擒捕獲奇美拉並非容易的事，舒雅需要投入更多資源。

「看來我們這次的委託費又不夠用了，舒雅你真的很喜歡做賠本生意呢。」摩卡對此經已習以為常。

「**你搞錯了，我只不過是把金錢用在更有意義的地方。**」舒雅很多時候也會不惜工本，去捍衛自己認為正確的價值觀，雖然會令萬事屋面臨赤字，但她能夠活得心安理得。

回到萬事屋後，舒雅拉起隱藏在地毯下的暗門，引領安德魯走到萬事屋隱藏的地下室。

「歡迎來到我的工作室。」舒雅燃點蠟燭，為陰暗的地下室帶來亮光。

「這些魔法道具全都是出自你的手筆嗎？」安德魯讚嘆不已，地下室內盡是他聞所未聞、見所未見的新奇道具。

「也不是全部啦，有部分是我收集得來的。」舒雅除了是製作者，同時是收藏家。

摩卡不滿的說，舒雅入不敷出的話，牠便沒有優質貓罐頭吃。

「放心！我絕對不會拖欠你的薪金。摩卡你別挖苦我啦，我拜託你的事情你完成了嗎？」舒雅的魔法萬事屋隨時有倒閉的風險，安德魯不知道在這裡實習到底是好是壞。

「但是……那檢測報告的結果到底是什麼？為什麼你突然這麼緊張呢？」但只要能留在人界，安德魯便沒有其他要求。

「我一直覺得很奇怪，為什麼那頭奇美拉的行為模式和百科全書上的不同？在魔幻世界**稱王稱霸**的魔獸為何會躲到深山佈置洞穴？」世界上有很多知識是書本不能盡錄，須要自己分析和挖掘的。

「而答案就在這份報告上。」舒雅把調查報告交給安德魯，繼續翻找合適的魔法道具。

「**那頭奇美拉懷孕了**？莫非牠是為了將要出生的孩子才築建巢穴？」安德魯沒有想過原來和他交手的奇美拉，腹中懷有小寶寶。

「叮咚！正確～牠把獵物帶離牧場，也是為了儲存食物吧。」懷孕的奇美拉會變得缺乏安全感和不安，這便能解釋牠為何表現得這麼**與別不同**。

舒雅整理好行裝，而默默在借用她的手機來搜尋資料的摩卡，也成功找到線索。

「找到了，奇美拉最大機會選擇的藏身之處。」摩卡和舒雅表現出完美的默契。

「那就立即行動吧，在獵人公會發現牠前，我們要送牠回原本的地方。」舒雅笑著說。

安德魯深感佩服，萬事屋的工作令他對自己的未來規劃有了新的想法。

城中最大的動植物公園沒有對外開放，網絡上盛傳，有遊客在公園內看見巨大的黑色怪物。動植物公園的負責人罕有的沒有否定這說法，公園現正關閉以作進一步調查。

「**果然躲在這裡，我已嗅到牠的氣味了。**」摩卡十分肯定，這裡距離森林只有半小時的路程，環境也比較接近大自然，而且公園內收容了大量動物，奇美拉不用擔心糧食不足。

「一切依計行事，大家清楚了嗎？」這次舒雅有備而來，出發前已議定好作戰計劃。

昏暗的動植物公園內，動物們的眼神都充滿恐懼，不少更在發出**嗚咽低鳴**，可想而知奇美拉正躲藏在不遠之處。

黑貓摩卡口中叼著一
個小香壺，它是舒雅準
備的魚餌。然後摩卡走
到空曠的地方，放下小
香壺作最後的準備。

「快點上鉤吧，奇美拉。」只要摩卡把魔力注入小香壺，它就會散發出非常吸引的香味。

香味逐漸瀰漫開來，安德魯和舒雅分別埋伏在東邊和西邊的暗處，果不其然，奇美拉抵受不住誘惑，從樹蔭中小心翼翼的走向小香壺。

「對了，過來吧，我是不會傷害你的。」黑貓摩卡循循善誘，希望奇美拉放下戒心。

奇美拉對小香壺十分好奇，終於忍不住邁出腳步，在摩卡面前用力嗅探小香壺。

「機會來了，魔法道具，**天羅地網**！」舒雅和安德魯各自拿著的棍子，其實是用來張開魔力大網的一對魔法道具，兩條棍子之間張開的大網足夠捕獲巨大的魔獸。

「吼！」奇美拉還想重施故伎，逃向空中，但這大網既不會弄傷牠的身體，單靠蠻力難以撕破。

「安德魯，抓緊啊！」為免傷及奇美拉腹中的小生命，舒雅採取完全不使用攻擊魔法的手段。

「明白！」安德魯也十分同意，但奇美拉並非一般魔獸，牠的口中已冒出火光，噴出火球。

天羅地網承受不了多次魔法攻擊，如果奇美拉持續進攻的話，不消多久就能衝破束縛。

「要使用魔法嗎？」安德魯**唸唸有詞**，拿出魔法杖準備對策。

「別再掙扎了！你是在擔心腹中的小寶寶吧？」摩卡大聲吆喝。

魔獸，理應是無法用言語溝通和交流的。

「吼……」奇美拉放慢了掙扎。

「我們不會傷害你的，而且我們會送你回

去安全的地方。」但就像寵物能理解主人的情緒般，摩卡和奇美拉成功建立了溝通。

就算**言語不同**而沒法進行交流，不同種族的動物之間也能感受到對方的情緒，能被對方感染、能被對方感動。

「你的家鄉。」摩卡成功令激動的奇美拉平靜下來，**因為牠的善意能傳達到對方心中**。

第十章 捕獲作戰·下

「你在這籠子稍等一會吧，我很快便會送你回家了。」舒雅拿出魔法籠子，就算是比大象更大的動物也放得進去。

「回到魔幻世界後，就不要再來人界了，雖然我也不知道你是怎樣誤闖進來。」這次行動的最大功臣——摩卡說。

「我這次又什麼也做不到，一點也幫不上忙呢。」安德魯略感氣餒。

「慢慢學習吧，大家剛踏入社會時也是這樣的。」舒雅回想起自己最初也像**盲頭烏蠅**一樣。

「你剛才想使用睡眠魔法吧？這也是可行的對策，不過我們除了魔法外，其實還有其他選擇。」安德魯的動作被摩卡看穿了，其實牠對這實習生的表現有不錯的評價。

在魔幻學園主修魔法的學生，遇到任何問題當然第一時間想到以魔法解決，但魔法不等於最佳答案，在**瞬息萬變**的社會中，我們需要的知識，遠超於學校教授給我們的。

萬事屋小隊成功把奇美拉制服，正準備送回魔幻世界，但當他們踏出動植物公園，立即遇到他們盡量避免接觸的對象。

「原來是你比我們快了一步嗎？魔具師舒雅。」鋼鐵的守望者拉斐爾和他的兩名學徒守住動植物公園的大門。

魔具師，是專門製作魔法道具的職業。舒雅在成立萬事屋前曾以製作魔具維生。

「我已不是魔具師了，我現在只是個經營小生意的老闆。」舒雅不喜歡和公會往來。

「這實在是浪費了你的天賦。我此行是為收服魔獸而來，你能把牠交出來嗎？」奇美拉出沒已被公會發現，拉斐爾特意帶著艾爾文和艾翠絲到來，增加他們表現和立功的機會。

「不，這頭魔獸沒有造成人命傷亡，牠不屬獵人公會管轄的範圍。」舒雅**斬釘截鐵**的拒絕。

「你說得不無道理，但如果是總部作出的要求，你也不願意配合嗎？」拉斐爾不怒自威，強大的氣場充滿壓迫感。

「對，我會親自送牠回魔幻世界，若有任何問題我願意一力承擔。」舒雅眼神堅定，沒有*一絲畏縮*。

「好吧……別忘記公會一直留意著你，還有那頭會說話的黑貓。」拉斐爾出現後，摩卡一直躲藏到舒雅身後，牠和公會之間有過極不愉快的回憶。

安德魯和艾爾文再次碰面，雖然艾爾文很想告訴他迦南的近況，但在守望者面前，兩人完全沒有能對話的空間，在人界內獵人和妖魔的關係一天比一天差，說不定下次見面之時，艾爾文和安德魯不得不**兵戎相見**。

下水道內，黑魔法派佔據了這鮮有人類造訪的地帶，成為他們**揭竿起義**的根據地。

「轉移魔獸到人界的計劃進展如何？」海德拉問。

奇美拉之所以在人界出沒，是黑魔法派在背後操作，他們前前後後已把十多隻大型魔獸偷偷運入人界，而這些魔獸全都是用來攻打獵人公會總部。

「大部分已安頓下來了，但我們收到消息，指公會很快便會把所有來往兩界的傳送門關閉。」三頭犬塞伯拉斯說。

「魔幻王國那邊呢？」海德拉要改寫歷史，把人界重新變成妖魔的家園。

「沒有動靜，看來阿瑟國王打算按兵不

動。」變色龍索隆說。

「鷸蚌相爭，漁人得利。他是打算在最後關頭才分一杯羹。」這對海德拉而言是一個好消息。

現在魔幻世界東西兩方也知道人類的野心，知道人類現在的科技已足以對他們構成威脅。有了共同的敵人，東西兩方比過去任何時期也更加團結，他們正為人類的侵襲做準備。

經過今次的委託，安德魯對魔法萬事屋的工作有了更深的了解，也開始喜歡上這份工作。回到萬事屋後，安德魯陪同舒雅和摩卡到地下室整理道具，對魔法道具多點了解，自然對日後的工作更有幫助。

「舒雅……這東西是什麼來的？」一件塵封於角落的物品吸引了安德魯的注意。

生命中每一趟旅途，也是具有意義的，我們一定能從中有所得著。

「啊！這是在萬事屋剛開業時，一個委託人留下來的，他委託我打開這鐵盒，但我嘗試過千百種方法也無功而返。」舒雅尷尬地說。

「最奇怪的是，那個委託人留下鐵盒後便再沒有出現過。」摩卡對這個委託人也有印象。

「這鐵盒上的雕刻和我故鄉的設計很相似。」安德魯拿起鐵盒，上面的蝙蝠浮雕和紋理也和**黑翼古堡**極為相似。

「回想起來……那委託人和你一樣，是吸血鬼啊！」舒雅也終於想起來，那委託人的長相和安德魯也有幾分相似。

「在我的故鄉有一個古老傳統，就是把自己的家傳之寶傳放在只有吸血鬼才能打開的蝙

蝠盒子內，這樣就能確保我族的寶物不會落入他人手中。」安德魯咬破大拇指，把鮮血滴在蝙蝠浮雕上。

吸血鬼的秘寶只留後人，這是只有吸血鬼才知道的開啟方法。

「打開了！」舒雅驚訝地說。

「深淵……魔法？」安德魯拿起盒中的黑色魔法書。

安德魯來到魔法萬事屋，也是命運的安排。

冥冥之中自有主宰，女王覺醒了她的黃金力量，帝王也必須重拾深淵之力。

下 回 預 告

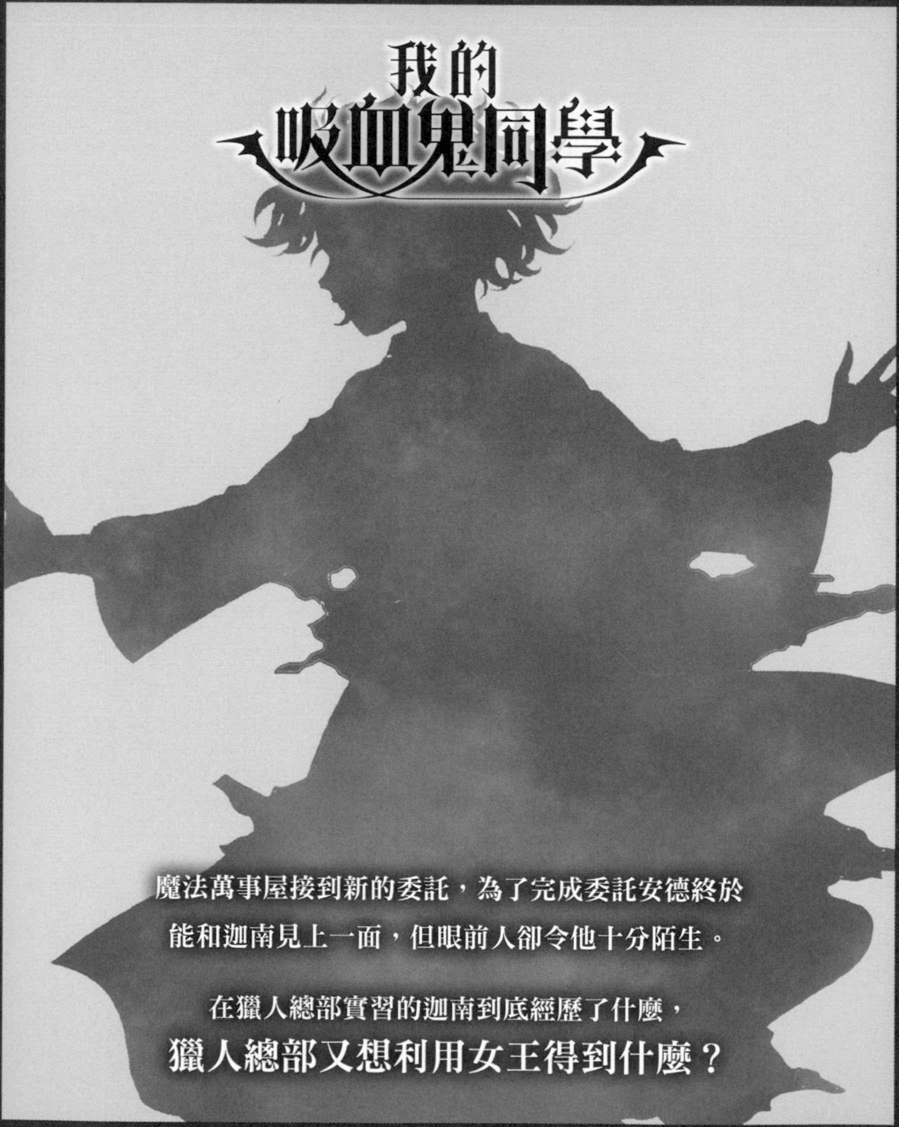

我的吸血鬼同學

魔法萬事屋接到新的委託，為了完成委託安德終於
能和迦南見上一面，但眼前人卻令他十分陌生。

在獵人總部實習的迦南到底經歷了什麼，
獵人總部又想利用女王得到什麼？

vol.22 2024年2月出版

你真的懂科技嗎？

2024 STEM問答比賽

創造館 CREATION CABIN

主辦

贊助

比賽日期 2024年1月15日至28日

參賽資格 全港小學生

活動詳情 https://subscription.creationcabin.com/stem2024/

ITCA學生如獲冠亞季軍或優異獎，將可豁免銀章的專題研習考核。

各組別均設冠軍、亞軍、季軍及優異獎。

獎品

★ 冠軍 1名 $500創造館書券 + B Duck 文具禮包

★ 亞軍 1名 $300創造館書券 + B Duck 文具禮包

★ 季軍 1名 $200創造館書券 + B Duck 文具禮包

優異獎 5名 圖書一本（價值$88）

每件失落的聖物，
都有它的神奇魔力；

專屬你的星座魔法，又會是什麼呢？

白羊座的懷錶

白羊樂觀開朗，常有跳脫的躍動式巧思；懷錶的魔法是可以追溯時間，能瞬間傳送使用者回到過去身處的位置。

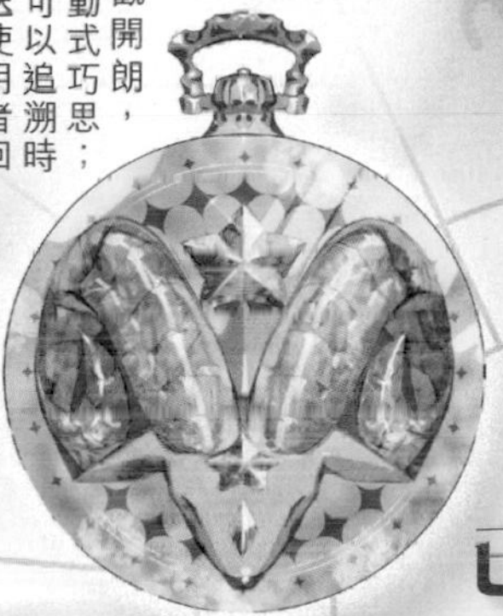

雙魚座的魔笛

魚兒善解人意，敏感善良，很多幻想；魔笛吹奏出來的聲音能使人出現幻覺，控制人的心智呢！

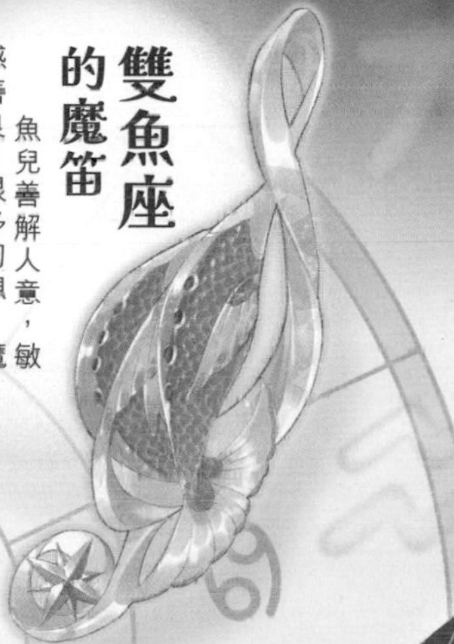

已尋獲的聖物

獅子座的襟針

獅子最有領導能力，剛強但有點固執；襟章的魔力是能任意指揮方圓百里內的所有動物。

水瓶座的魔法筆

瓶子一般情感豐富，愛哭愛笑；魔法筆的不思議力量，是能夠把內心澎湃想像力畫出的物品，一一變成實體呈現出來！

1-4期
經已出版

各大書局現已有售

家長 胶己人
睇完十本，不知不覺中文成績考咗全級第一。不清楚是不是它的原因，總之阿女喜歡！
家長 Sweetholic
英文版的《童話夢工場》及《閱讀理解》媽媽最愛，令小朋友愛不釋手，在家一口氣可做上 6 篇，哈哈！
家長 Virginia
無想過童話夢工場會開通了我小朋友喜歡閱讀，由第 1 集追到最新 29 集，令到她們的閱讀能力和作文能力有所提升！一路出一路追！
童話夢工場
家長 Karen Cheong
《童話夢工場》所有作品都係佢 favourite；唔算唔中意做嘅練習，有佢都願意做；宜家仲出咗英文版，真係 perfect for kids ！
家長 Bo Hui
每一次見到個女自動自覺去睇故事書，媽媽都超感動；有一次忍唔住自己都睇，一睇就愛上。書裡面有好多四字詞語，都係學習重點。零威逼下，阿女自動波睇書，媽媽立時覺得世界好美麗！

Samantha Leung
《十萬個為什麼》系列是創新之作，令小朋友更簡易理解香港地理、資訊科技及理財概念！
B Ling Ling
我很欣賞耿啟文和貓十字，因為你們用心改造每一個角色！我好肯定之後會有更多人去買《童話夢工場》的書！你們要加油呀，永遠支持你們！
讀者好評迴響
「我們這一代的必看童書！」
Bella
精美的圖畫、有趣的故事都深深吸引住我；我本身最不喜歡中文故事書，但竟然愛上，真神奇！
Yan Chan
和同學都很喜歡《童話夢工場》，我們會一起討論故事內容。我現在最想要的禮物，就是媽媽每個月送我一本《童話夢工場》。

我的吸血鬼同學

創作繪畫	余遠鍠
故事文字	陳四月
策劃	YUYI
編輯	小尾
設計	陳四月
校對	Eva Lam
實景	張耀東
製作	知識館叢書
出版	創造館
	CREATION CABIN LTD.
	荃灣美環街 1-6 號時貿中心 6 樓 4 室
電話	3158 0918
發行	泛華發行代理有限公司
	香港新界將軍澳工業邨駿昌街七號二樓
印刷	高科技印刷集團有限公司
出版日期	2024 年 1 月
ISBN	978-988-70025-5-0
定價	$78
聯絡人	creationcabinhk@gmail.com

本故事之所有內容及人物純屬虛構，
如有雷同，實屬巧合。

創造館 CREATION CABIN